Primera edición: diciembre 1982
Segunda edición: abril 1986
Tercera edición: mayo 1990
Cuarta edición: noviembre 1991
Quinta edición: octubre 1994
Sexta edición: marzo 1996

Oliver Button es un Nena

Texto e Ilustraciones de
Tomie de Paola

Traducción: Fernando Alonso

Calificación: Libro de Interés Infantil 1983

susaeta

A Oliver Button le llamaban el Nena.

A él no le divertía hacer
aquellas cosas que se supone deben hacer los niños.

En cambio, le gustaba coger flores en el bosque
y saltar a la comba.

Le gustaba leer libros y pintar cuadros.

Le gustaba jugar con recortables de muñecas.

Y, sobre todo, a Oliver Button le encantaba disfrazarse.

Subía al desván y se probaba toda clase de disfraces.

Entonces, se ponía a cantar y a bailar
y actuaba como si fuera una estrella de cine.

Su padre le decía:

—¡Oliver, no seas tan nena! Sal fuera a jugar al fútbol, al béisbol, al baloncesto... ¡a cualquier juego de pelota!

Pero Oliver Button no quería jugar a cualquier juego de pelota.
No le gustaba porque no era bastante bueno jugando a eso.
Siempre se le caía la pelota, o no la cogía, o no corría
lo suficiente.
Siempre era el último en ser elegido cuando formaban equipos.
Y siempre decía el capitán:
—¡Qué mala pata! Nos toca Oliver Button.
¡Perdemos seguro!

Su madre le decía:
—Oliver, tienes que jugar a algo.
Necesitas hacer ejercicio.
Y Oliver le contestaba:
—Ya hago ejercicio, mamá. Paseo por el bosque, salto a la comba
y me encanta bailar.

—¡Mira!

Entonces, sus padres decidieron enviar a Oliver Button a la Escuela de Danza de la señorita Leah.

—Sobre todo, para hacer ejercicio —decía su padre.

Compraron a Oliver Button un precioso par de zapatos de baile, negros y brillantes.

Y practicó y practicó.

Pero los chicos, sobre todo los mayores, se metían con Oliver
Button en el recreo y le decían:
—¿De dónde has sacado esos zapatos tan brillantes, Nena?
Du - Du - Duaa... ¿vas a bailar para nosotros?

Y le quitaron a Oliver Button sus zapatos de baile
y jugaron a pasárselos unos a otros,
hasta que una niña consiguió cogerlos.

—¡Dejad en paz los zapatos de baile de Oliver Button!
¡Toma, Oliver! —dijo la niña.

Los niños decían para pincharle:
—¡Necesita que le defiendan las niñas!

Y escribieron en la pared del colegio.

Casi todos los días, los chicos se metían con Oliver Button.

Pero Oliver Button seguía yendo cada semana
a la Escuela de Danza de la señorita Leah.
Y practicó y practicó...

Un día se convocó el concurso «Salto a la Fama»
y la señorita Leah le dijo:
—Oliver, dentro de un mes se celebrará en el Teatro el Concurso
«Salto a la Fama». Yo quiero que te presentes. He preguntado a
tus padres. Pero ellos dicen que eso es asunto tuyo.

Oliver Button estaba muy excitado.
La señorita Leah le preparó para su número de baile.
Mamá le hizo un traje.
Y Oliver practicó y practicó.

Cuando llegó el viernes antes del gran día,
dijo el maestro:
—El domingo por la tarde se celebrará en el Teatro el Concurso
«Salto a la Fama»

Y uno de vuestros compañeros va a participar.
Espero que todos estéis allí para animar a Oliver Button.
—¡El Nena! —cuchichearon los chicos.

El domingo por la tarde el Teatro estaba lleno.
Una tras otra fueron pasando las actuaciones.

Había un mago, un acordeonista, una niña que
hacía malabares con un bastón y una señora
que cantaba cosas sobre besarse, la luna y Junio

Por fin llegó el turno de Oliver Button.
El pianista comenzó a tocar y los focos
se encendieron.

Oliver Button salió a escena.

«Dam - di - dam» —sonaba la música.
«Dam - di - dam - di - dam»
Oliver bailaba y bailaba.

«Dam - di - dam - di - dam - dam DAM.»
Oliver saludó y el público aplaudió y aplaudió.

Cuando terminaron las actuaciones, todos los participantes subieron al escenario.

El presentador comenzó a anunciar los premios.

Y ahora, señoras y señores, el ganador del primer premio...
La niña que nos deleitó con los malabarismos de su bastón:
¡ROXIE VALENTINE!
El público chilló y silbó.

Oliver Button se tragó las lágrimas.

Mamá, papá y la señorita Leah
dieron a Oliver grandes abrazos.

Su padre le dijo:

—No te preocupes. Vamos a llevar a nuestro gran bailarín
a comer una gran tarta. Hijo, estoy muy orgulloso de ti.

—Nosotras también —exclamaron mamá y la señorita Leah.

El lunes por la mañana Oliver Button no quería ir al colegio.
Su mamá le dijo:
—Vamos, Oliver, no seas tonto. Ven a tomar el desayuno.
Vas a llegar tarde.

Oliver no tuvo más remedio que ir al colegio.

Oliver llegó el último.
Cuando ya había sonado la campana del colegio.

Entonces, miró sorprendido la pared del colegio.

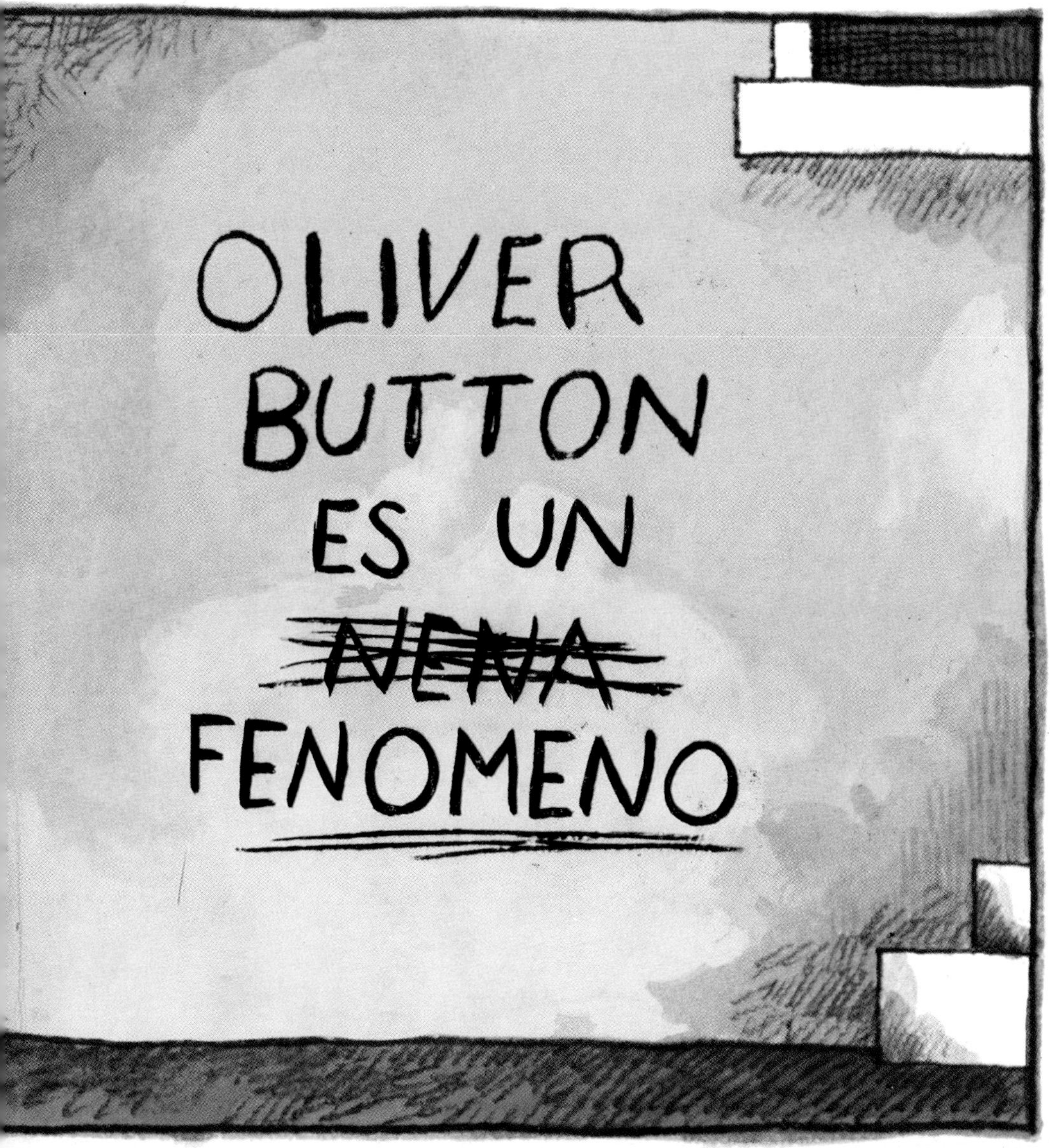
OLIVER
BUTTON
ES UN
~~NENA~~
FENOMENO

Títulos de la Colección DUENDE

* Ediciones en catalán